Courage, Youki !

G000058296

Editions Maison des Langues, Paris

Collection :
« Aventure jeune »

Auteur :
Ulrike Bocquillon

Édition :
Agustín Garmendia et Eulàlia Mata

Conception graphique et couverture :
Enric Font

Illustration de couverture :
Man

Illustrations :
Man + Frad

Notes et activités :
Agnès Aubertot

Correction :
Josette-Noëlle Carlier Vaubourg

© Ernst Klett Verlag GmbH, Stuttgart, Allemagne, 2002
© de cette édition : Difusión, Centre de Recherche et de Publication
des langues, S.L., 2004

ISBN : 978-84-8443-164-0
Dépôt légal : B-21203-2013
Réimpression : avril 2017
Imprimé dans l'UE

www.emdl.fr

Courage, Youki !

Ulrike Bocquillon

Avant-propos

Grâce à la collection **Aventure jeune**, vous plongerez dans les aventures vécues par des adolescents français et, en même temps, découvrirez de nombreuses facettes de la France d'aujourd'hui.

Courage Youki ! est entièrement écrit en français : il est normal que vous ne compreniez pas tous les mots, mais vous êtes certainement capable de comprendre le texte dans son ensemble et d'avoir le plaisir de lire dans la langue que vous étudiez.

Pour cela, nous avons accompagné **Courage Youki !** de notes explicatives en bas de page permettant d'éclaircir certains points de grammaire ou de vocabulaire, tandis que d'autres notes apportent des précisions sur des particularités culturelles françaises.

Après la lecture, vous trouverez des activités variées : exercices de compréhension, travail sur le vocabulaire et sur la grammaire, jeux, etc. Vous serez également amené à réfléchir et à débattre avec vos camarades de classe sur les thèmes abordés dans les lectures. À la fin de l'ouvrage, vous trouverez les solutions de ces activités.

Bonne lecture !

Scène 1

Josiane Nicollet, une dame de 80 ans habite à Paris dans le quartier Montparnasse.[1] Elle a un petit chien, Youki. Aujourd'hui, Mme Nicollet reste au lit parce qu'elle a mal à la jambe. Youki dort sur sa couverture. On sonne. C'est le docteur. Il arrive avec Mme Roustan, la voisine de Mme Nicollet.

MME ROUSTAN   Voilà, monsieur le docteur. Entrez. Mme Nicollet a très mal à la jambe. Elle est au lit.

LE DOCTEUR   Bonjour, madame. Alors, qu'est-ce que vous avez ?

MME NICOLLET   Oh, docteur. Je ne suis pas bien. Ma jambe me fait très mal. Je ne peux plus marcher.

LE DOCTEUR   Alors, on va vous transporter à l'hôpital.

1. **Montparnasse :** quartier du sud de Paris (14ᵉ arrondissement) où se trouvent plusieurs hôpitaux, de nombreux théâtres et salles de spectacle, une grande gare moderne où on peut prendre le TGV pour aller sur la côte Atlantique et une très haute tour depuis laquelle on a une vue panoramique magnifique sur tout Paris.

7

MME NICOLLET	Mais monsieur le docteur. Qu'est-ce que je vais faire avec mon petit chien ? Il ne peut pas rester seul.
MME ROUSTAN	Vous pouvez aller à l'hôpital avec le docteur, madame. Youki peut rester avec moi.
MME NICOLLET	Merci, madame. Alors d'accord, monsieur le docteur. Je vais à l'hôpital avec vous.
LE DOCTEUR	Bon. Je vais appeler une ambulance.

Dix minutes après, l'ambulance arrive. On transporte Mme Nicollet à l'hôpital. Mme Roustan va dans son appartement avec Youki.

Scène 2

Mme Roustan adore les animaux et elle aime bien les promenades avec Youki. Elle veut prendre le métro pour aller au parc. Beaucoup de gens attendent le métro. Le voilà. Vite, Mme Roustan monte. Youki a peur. Il ne veut pas monter et tire sur sa laisse. Le petit chien perd son collier… Oh là là,[2] le métro avec Mme Roustan part sans Youki.

YOUKI   Ouah, iiiih, ouah… ! (Qu'est-ce que je vais faire ? Je suis seul. Où est-ce que je vais aller ? Je ne sais pas où j'habite.)

D'abord, le petit chien aboie, puis il pleure. Mais le métro avec Mme Roustan n'est plus là. Alors, Youki cherche et cherche… Un autre métro arrive.

YOUKI   Ouah, rrraafff… ! (Ah, voilà le métro. Je vais vite entrer et chercher la dame.)

---

2. **Oh là là :** expression utilisée à l'oral qui marque ici la peur.

Le petit chien monte dans le métro et cherche Mme Roustan. Mais il ne la trouve pas. Une demi-heure après, le métro arrive dans une gare au nord de Paris. Youki sort de la gare. Voilà une bande de chiens.

YOUKI	Salut ![3]
LE 1er CHIEN	Qui es-tu, toi ? Tu t'appelles comment ?
YOUKI	Je m'appelle Youki. Est-ce que je peux rester avec vous ?
LE 2e CHIEN	Pourquoi est-ce que tu ne rentres pas chez toi ?
YOUKI	Je ne sais pas où j'habite. J'ai perdu ma maîtresse. Et maintenant, je ne retrouve plus ma maison.
LE 3e CHIEN	Bon, d'accord. Tu peux rester avec nous.

Une camionnette arrive. Deux hommes sortent avec un carton. Ils montrent un biscuit aux chiens. Les chiens ont très faim mais ils attendent un moment.

LES HOMMES	Regardez le bon biscuit. Mmmmh, que c'est bon ! Miam, miam ![4]

---

3. Salut ! : utilisé à l'oral pour dire bonjour ou au revoir à quelqu'un de façon familière.

4. Miam, miam ! : onomatopée pour faire comprendre qu'un aliment est bon.

Les chiens arrivent. Ils veulent manger le biscuit. Youki n'a pas faim. Il attend derrière une voiture avec Duc, un autre petit chien. Tout à coup, le carton tombe sur les chiens. Les deux hommes portent les animaux dans la camionnette où il y a déjà beaucoup de chiens et chats. Une heure après, la camionnette arrive devant une maison. Les deux hommes portent les cartons avec les animaux dans la maison. Puis, ils partent.

Scène 3

Youki et Duc sont toujours devant la gare et regardent dans la direction de la camionnette.

YOUKI Qu'est-ce qu'ils font avec les autres chiens ?

DUC Ils les vendent aux laboratoires.

YOUKI Qu'est-ce que c'est, un laboratoire ?

DUC C'est une maison où ils font des tests avec des médicaments par exemple.

YOUKI Avec des médicaments ?

DUC Oui, ils leur donnent un médicament et regardent ensuite ce qui se passe.

YOUKI Oh là là, les pauvres… Et nous, qu'est-ce qu'on fait maintenant ?

DUC Moi, je rentre. Ma maîtresse habite dans la grande maison, à côté de la gare.

YOUKI Je ne peux pas rentrer avec toi ?

DUC Non, ça ne va pas. Dans cette direction, il y a une petite forêt. Là, tu peux dormir. Va toujours tout droit.

YOUKI D'accord. Au revoir.
DUC Au revoir, Youki.

Duc est triste. Est-ce que son nouveau copain va retrouver sa maîtresse ?

Scène 4

*Luc, François et Martin sont devant la tour Montparnasse[5]
avec leurs patins à roulettes. On est mercredi aujourd'hui
et ils n'ont pas classe.[6] Les garçons adorent faire des
démonstrations de slaloms sur la place. En ce moment,
ils font une pause. À côté, il y a une camionnette.*

MARTIN	Écoutez ! Vous n'entendez rien ?
LUC	J'entends des chiens.
FRANÇOIS	Où ça ?
MARTIN	Dans la camionnette. J'entends aussi des chats.
LUC	Cette camionnette est souvent ici.

---

5. la tour Montparnasse : gratte-ciel où il y a surtout des bureaux. Autour, il y a un ensemble commercial et administratif. Cet endroit est un lieu de passage très animé.

6. On est mercredi aujourd'hui et ils n'ont pas classe : en France, la plupart des enfants ne va pas à l'école le mercredi. Ils en profitent pour faire des activités sportives, artistiques, aller chez leurs grands-parents… Certains vont à des cours de religion. Des centres de loisirs accueillent les enfants qui ne restent pas chez leurs parents ou leurs grands-parents. Pour compenser le mercredi, les enfants vont à l'école le samedi matin.

Les trois garçons s'approchent de la camionnette. Deux hommes arrivent avec un grand carton. Ils ne sont pas très sympas.[7]

LE 1er HOMME	Qu'est-ce que vous faites là ?
MARTIN	On a entendu quelque chose. Vous avez des animaux dans votre camionnette ?
LE 2e HOMME	Qu'est-ce que ça peut vous faire ? Barrez-vous ![8]

Les hommes ouvrent un peu la porte et mettent le carton dans la camionnette. Puis, ils montent et partent.

FRANÇOIS	Ce sont peut-être des voleurs d'animaux. Beaucoup de gens dans notre quartier ne trouvent plus leurs chiens et leurs chats.
LUC	Je vais noter le numéro de la voiture.[9] Il y a des animaux dans cette camionnette.
MARTIN	Mais qu'est-ce qu'ils font avec les chiens ?
FRANÇOIS	Ils les vendent aux laboratoires.

7. **sympa :** abréviation familière de « sympathique ».
8. **Barrez-vous ! :** (très familier) « se barrer » veut dire « partir ». Les adultes utilisent plus souvent cette expression que les enfants ou les adolescents.
9. **le numéro de la voiture :** le numéro de la plaque d'immatriculation de la voiture.

MARTIN Et que font-ils avec les chats ?

FRANÇOIS Ils les vendent aussi. Les gens font des couvertures avec leur peau.

MARTIN Quelle horreur !

LUC Ça y est. Voilà le numéro. On va aller au commissariat de police.

Scène 5

Les trois copains arrivent au commissariat de police.

LES GARÇONS   Bonjour, monsieur.

L'AGENT DE POLICE   Bonjour. Qu'est-ce que je peux faire pour vous ?

LUC   Voilà le numéro d'une camionnette. Ce sont peut-être des voleurs d'animaux.

L'AGENT DE POLICE   Comment ça ? Pourquoi ?

MARTIN   Les deux types ne sont pas très sympas. Il y a des chats et des chiens dans la camionnette. Et dans notre quartier, beaucoup de gens ne retrouvent plus leurs animaux.

L'AGENT DE POLICE   Qu'est-ce que c'est comme voiture ?

FRANÇOIS   Une Peugeot.

L'AGENT DE POLICE   Bon. Laissez-moi vos noms et vos adresses. On va s'occuper de ça.

Luc note tout sur un papier. Puis, les trois garçons partent.

LES GARÇONS   Merci, monsieur. Et au revoir.

L'AGENT DE POLICE Au revoir et merci pour vos informations.

Luc, François et Martin prennent le métro et vont à la tour Montparnasse. Sur la place, Nathalie et Yasmina les attendent déjà.

NATHALIE Regardez l'heure ! C'est ça : « Rendez-vous à deux heures » ? Il est trois heures maintenant. On vous attend depuis une heure !

LUC On arrive du commissariat de police.

YASMINA Oh là là ![10] Qu'est-ce que vous avez encore fait ?

FRANÇOIS Pas de panique ![11] Il y a des voleurs d'animaux dans le quartier.

NATHALIE C'est vous, hihi ?

LUC Ça va pas la tête ![12] On a vu une camionnette avec beaucoup d'animaux devant la tour Montparnasse.

FRANÇOIS Luc a noté le numéro de la voiture. Et puis, on a été au commissariat. L'agent de police va s'occuper de tout.

10. **Oh là là :** expression qui marque ici l'impatience, la colère.
11. **Pas de panique !** : expression familière qui s'emploie à l'oral et qui signifie « ne vous énervez pas ».
12. **Ça va pas la tête !** : expression familière qui s'emploie à l'oral et qui signifie « tu es fou / folle ».

YASMINA J'espère qu'ils vont trouver ces criminels. Ma tante aussi cherche ses chats depuis lundi. Elle va peut-être les retrouver.

LUC Où sont Isabelle et Julie ?

NATHALIE Elles sont au parc Astérix[13] aujourd'hui avec Julien et Ahmed.

LUC Ah oui, c'est vrai !

FRANÇOIS Bon ! On va faire une démonstration de slaloms ? Il y a beaucoup de gens sur la place en ce moment.

YASMINA Oui, mais attention, champion ! On n'a plus envie de t'apporter du chocolat à l'hôpital.

FRANÇOIS Idiote !

---

13. **parc Astérix :** parc d'attractions situé dans le nord de la région parisienne. Les aventures d'Astérix et Obélix, les fameux Gaulois héros d'une bande dessinée, sont le thème central de ce parc (voir www.parcasterix.fr).

Scène 6

Pendant ce temps, Youki court. Il traverse beaucoup de quartiers mais il ne trouve pas la petite forêt. Il a très faim. Mmhh, cette bonne odeur de sucreries ! Il suit l'odeur et arrive au parc Astérix. Vite, il passe sous la caisse. La dame ne le voit pas. Il y a beaucoup d'enfants au parc. Youki adore les enfants. Devant lui, il y a une fille avec un grand sandwich. Youki suit la fille. C'est Isabelle Lacroix. Isabelle voit le petit chien et le caresse.

ISABELLE Oh, où vas-tu, petit chien ? Tu as perdu ta maîtresse ? Attends, je regarde. Il y a peut-être ton nom sur le collier. Mince,[14] tu n'as pas de collier.

Youki a très faim. Il regarde le sandwich. Alors, Isabelle le donne au petit chien qui le mange avec appétit.

ISABELLE Alors, tu t'appelles comment ? Je vais te donner un nom : Idéfix.[15] Comment

14. **Mince :** ici exclamation de regret qui s'emploie à l'oral.
15. **Idéfix :** nom du chien d'Obélix des aventures d'Astérix.

est-ce que tu le trouves ? Bon, on va chercher ta maîtresse, Idéfix.

Isabelle va au bureau avec Youki.

ISABELLE   Bonjour, madame. Regardez, voilà un petit chien. Il a perdu sa maîtresse. Je ne sais pas comment il s'appelle.

LA DAME   Il n'a pas de collier ?

ISABELLE   Non, madame. Mais il ressemble au chien d'Obélix. Pour moi, c'est Idéfix.

LA DAME   Tu peux le laisser ici, le petit Idéfix. On va chercher sa maîtresse. Il est tatoué ?

Isabelle regarde bien les oreilles de Youki. Voilà un numéro.

ISABELLE   Oui, il est tatoué : AB 339.

La dame   C'est bien. Je vais appeler la S.P.A.[16] Ils vont retrouver sa maîtresse.

ISABELLE   D'accord. Merci beaucoup, madame. Au revoir, Idéfix.

Elle caresse encore une fois le petit chien et part.

---

16. **S.P.A. :** Société Protectrice des Animaux. Organisme qui se charge de recueillir les animaux perdus, de rechercher leurs maîtres et si ce n'est pas possible, de les donner en adoption.

Scène 7

Du mercredi au jeudi, Youki reste chez la dame. Jeudi matin, elle va au refuge de Gennevilliers[17] avec le petit chien. Un monsieur arrive et la dame raconte l'histoire de Youki.

LA DAME   Je travaille au parc Astérix. Hier, une petite fille a trouvé ce chien sans collier. C'est le petit Idéfix.

LE MONSIEUR   Il s'appelle Idéfix ?

LA DAME   Je ne sais pas. Mais il ressemble au chien d'Obélix.

LE MONSIEUR   C'est vrai, il ressemble à Idéfix. Il est tatoué ?

LA DAME   Oui, voilà le numéro : AB 339.

LE MONSIEUR   Attendez un moment. Je vais regarder dans mes papiers… Ah, voilà. Sa maîtresse s'appelle Mme Josiane Nicollet, quartier Montparnasse. Elle est à l'hôpital. Sa voisine a perdu le chien dans le métro hier matin.

17. **Gennevilliers :** ville de la périphérie de Paris.

Le monsieur de la S.P.A. appelle Mme Roustan et puis Mme Nicollet. Mais malheureusement, cette dernière va rester à l'hôpital. Youki ne peut pas rester chez Mme Roustan parce qu'elle part en vacances. Mme Nicollet est très triste. Est-ce que la S.P.A. va trouver une nouvelle famille pour son petit Youki ?

Scène 8

Pendant ce temps, les chiens et les chats de la gare sont toujours dans la maison sans manger. Ils ont faim et ils ont très peur. Ils pleurent et ils aboient. Tout à coup, la porte s'ouvre. Cinq personnes arrivent. Elles sont de la S.P.A.

LA 1ère PERSONNE   Oh, quelle horreur ! Voilà encore des chiens et des chats.

LA 2e PERSONNE   Ils sont combien ?

LA 3e PERSONNE   Un, deux, trois, quatre, cinq... vingt.

LA 4e PERSONNE   Avec les animaux de la chambre d'à côté, ça fait cent.

LA 5e PERSONNE   Cent ? Oh là là !

LA 1ère PERSONNE   Ces criminels les vendent aux laboratoires. Maintenant, ils sont au commissariat de police. Et c'est bien comme ça.

LA 2e PERSONNE   Comment ça ?

LA 3e PERSONNE   Trois garçons ont entendu les animaux dans une camionnette. Ils ont noté le numéro et puis, ils ont informé la police.

LA 4e PERSONNE   Super !

LA 5e PERSONNE   Mais qu'est-ce qu'on va faire des animaux ?
LA 1ère PERSONNE   On va au refuge de Gennevilliers, d'abord
avec les chiens et puis avec les chats.
LA 5e PERSONNE   Attends, Marie. Je vais prendre une
photo pour le journal.

Ils portent les cages dans une camionnette et vont au refuge.

Scène 9

Isabelle Lacroix, la petite fille qui a trouvé Youki dans le parc Astérix est à la maison. Depuis ce jour, elle pense toujours au pauvre chien. Est-ce qu'ils ont trouvé sa maîtresse ? Est-ce qu'il est encore au refuge ?

ISABELLE   Papa, maman, on ne peut pas adopter Idéfix ? Il est si mignon. Je veux avoir un animal. Toutes mes copines ont des chiens ou des chats.

MME LACROIX   Mais tu as déjà un animal. Tu as Minnie, ta souris.

ISABELLE   Oui, mais je veux un chien.

M. LACROIX   Écoute, Isabelle. Un animal, c'est une grande responsabilité. Tu vas à l'école. Tu n'as pas le temps de t'occuper d'un chien. Et on ne laisse pas un animal seul à la maison.

MME LACROIX   Un chien, ça donne beaucoup de travail, Isabelle. Et puis, on habite à Paris. Où est-ce que tu veux promener le chien ? Non, Isabelle.

Isabelle va dans la chambre de sa sœur Julie. Elle est très triste.

ISABELLE   Maman et papa ne veulent pas adopter Idéfix.

JULIE   Oui, je sais.

ISABELLE   Le pauvre petit chien ! Il est peut-être toujours au refuge de Gennevilliers.

JULIE   Demain, c'est samedi. On peut aller au refuge.

ISABELLE   Oui, mais ne dis rien à papa et maman.

Les deux sœurs vont au lit. Isabelle rêve du petit chien. Demain, elles vont aller au refuge. Idéfix a peut-être déjà retrouvé sa maîtresse.

Scène 10

Samedi matin, les deux jeunes filles prennent le métro et partent pour Gennevilliers.

ISABELLE À propos, Julie, que veut dire S.P.A. ? Tu le sais ?

JULIE Bien sûr, c'est la Société Protectrice des Animaux.

ISABELLE Et le refuge de Gennevilliers, il est grand ?

JULIE Oui, il y a de la place pour 450 chiens.

ISABELLE Pour 450 chiens ? Mais c'est énorme !

Au refuge, Isabelle et Julie regardent les chiens. Ils sont tous très grands. Beaucoup de chiens aboient. Enfin, les deux filles voient un petit chien qui pleure : c'est Idéfix.

ISABELLE Regarde, Julie ! Le voilà, le voilà, le petit Idéfix.

Julie et Isabelle vont vite au bureau.

LES FILLES	Bonjour, monsieur.
LE MONSIEUR	Bonjour, mesdemoiselles. Qu'est-ce que je peux faire pour vous ?
ISABELLE	Le petit chien, je l'ai trouvé au parc Astérix.
JULIE	Ce chien est tatoué. Pourquoi est-ce qu'il est toujours ici ?
LE MONSIEUR	Sa maîtresse est à l'hôpital. Nous cherchons une nouvelle famille pour le petit chien.
ISABELLE	Je trouve qu'il ressemble à Idéfix.
LE MONSIEUR	Oui, c'est vrai. Il lui ressemble beaucoup. Mais il s'appelle Youki.
JULIE	Malheureusement, mes parents ne veulent pas adopter Youki parce qu'ils travaillent tous les deux. Ils n'ont pas le temps de s'occuper d'un chien. Et nous, nous sommes à l'école toute la journée.
LE MONSIEUR	C'est très raisonnable. Mais les petits chiens mignons retrouvent vite une nouvelle famille. Avec les grands chiens, c'est difficile.

Scène 11

Pendant ce temps, Mme Lacroix, la mère d'Isabelle et de Julie, pense toujours au petit chien. Tout à coup, elle a une idée. Elle parle à ses parents, aux grands-parents de Julie et d'Isabelle. Le grand-père a du temps et adore les promenades en forêt. Et puis, ils ont aussi une maison avec un grand jardin. Les grands-parents sont d'accord. Ils veulent bien adopter Youki parce qu'ils adorent les chiens.

Deux jours après, ils prennent la voiture. Ils vont au refuge de Gennevilliers. Youki est encore là. Les grands-parents règlent les formalités et le petit chien monte dans la voiture et va à Fontainebleau[18] avec les grands-parents. Puis, la grand-mère appelle Isabelle.

GRAND-MÈRE Bonjour, Isabelle. Ça va ?

ISABELLE Non, ça ne va pas bien. J'ai trouvé un chien au parc Astérix. Et papa et maman ne sont pas d'accord pour l'adopter. Il est toujours au refuge, le pauvre.

---

18. **Fontainebleau :** ville située au milieu d'une très grande forêt dans le sud-ouest de la région parisienne. La forêt de Fontainebleau est très fréquentée par les promeneurs.

GRAND-MÈRE C'est un grand chien ?

ISABELLE Non, un petit chien mignon. Il ressemble à Idéfix.

GRAND-MÈRE Les petits chiens retrouvent vite une nouvelle famille, Isabelle… Je vous appelle pour vous inviter. Dimanche après-midi, est-ce que ça vous va ? Tu peux jouer avec le chien de la voisine dans le jardin.

ISABELLE D'accord. Je vais le dire à papa et maman.

Isabelle est contente. Elle aime bien le chien de la voisine des grands-parents. Il est mignon et il adore jouer au ballon. Mais elle ne peut pas oublier le petit Idéfix. Le pauvre chien attend toujours une nouvelle maîtresse au refuge de Gennevilliers.

Scène 12

Dimanche après-midi, Youki joue au ballon dans le jardin. Il est content parce qu'il a enfin trouvé une nouvelle famille. Et puis, il y a un grand jardin et la forêt est à côté. Tout à coup, une voiture arrive. Youki court à la porte et aboie.

YOUKI   Ouah, ouah... ! (Mais qu'est-ce que c'est ? C'est la fille du parc Astérix.)

Isabelle sort de la voiture et court dans le jardin des grands-parents. Mais... ce n'est pas le chien de la voisine ! C'est son petit Idéfix.

ISABELLE   Oh, c'est génial ! Mon petit chien, mon petit Idéfix ! *(Elle caresse Youki.)*

Youki   Ouah, ouah, rrrrafff... ! (Je m'appelle Youki, mais ça ne fait rien.[19] Pour toi, je veux bien m'appeler Idéfix.)

---

19. **ça ne fait rien :** ce n'est pas grave, cela n'a pas d'importance.

Ça y est, le petit chien a enfin trouvé une nouvelle famille. Mme Nicollet est contente et Julie et Isabelle peuvent promener Youki dans la forêt de Fontainebleau.

Tout est bien qui finit bien !

Après la lecture

Scène 1

1. As-tu un animal ? Quel animal as-tu ou veux-tu avoir ? Un chien, un chat, un hamster, une tortue, un oiseau… ? Pourquoi ?

J'aime…   parce que ....
....
....
....
....
....

2. Y a-t-il des animaux que tu n'aimes pas ? Lesquels ? Pourquoi ? As-tu eu une mauvaise expérience avec un animal ?

3. Pour quelles raisons penses-tu que les personnes âgées ont souvent des animaux ?

> *Les personnes âgées aiment bien les animaux en général parce que...*

4. Entoure la (ou les) bonne(s) partie(s) du corps :

   a. J'ai mal aux **genoux / pieds / oreilles**. Mes chaussures sont trop petites.

   b. Mon bonnet rouge est parfait. Il me couvre bien **le nez / les yeux / les oreilles.**

   c. Quand je fais du patin à roulettes, je mets des protections pour **les oreilles / les genoux / les coudes / les poignets / les dents / le dos.**

   d. Un manchot est une personne qui n'a pas de bras. Un cul-de-jatte est une personne qui n'a pas de **jambes / tête / mains / fesses.**

   e. Je suis tombé au ski l'hiver dernier. On m'a plâtré **le bras / le nez / les cheveux / les ongles de la main droite.**

Scène 2

1. Mme Roustan adore les chiens. À ton avis, quelles sont les qualités des chiens ?

2. Pourquoi Youki ne trouve pas la dame dans le deuxième métro qui arrive ?

3. Imagine que tu aides un enfant français à retrouver sa maison. Entoure les questions utiles à lui poser :

Tu aimes le chocolat ?

Quel âge as-tu ?

Tu sais comment on dit « il fait beau aujourd'hui » en anglais ?

Comment s'appelle ton cousin ?

Où habites-tu ?

Tu sais nager ?

Comment s'appelle ta mère ?

Comment est ta chambre ?

Comment tu t'appelles ?

Qu'est-ce que tu manges au petit déjeuner ?

Quelle est ta profession ?

Tu connais ton numéro de téléphone ?

4. Est-ce que tu t'es déjà perdu(e) ? Comment tu as fait pour trouver tes parents ou ta maison ? Raconte.

....

....

....

....

Scène 3

1. Est-ce que les expérimentations de médicaments sur les animaux sont un mal nécessaire ? Est-ce qu'il existe d'autres façons de tester des médicaments ?

2. Il existe différents types de laboratoires. Choisis les définitions qui correspondent à celles d'un laboratoire :

☐ Local qui sert à faire des expériences scientifiques.

☐ Local aménagé qui sert à développer des photos.

☐ Local où les jeunes vont prendre un verre et parler avec leurs amis.

☐ Salle insonorisée où des élèves viennent étudier une langue en utilisant un casque et un magnétophone.

Scène 4

1. Luc, François et Martin adorent faire du patin à roulettes. Est-ce que tu en as déjà fait ? Avec qui ? Quand ? Où ?

2. Qu'est-ce que tu aimes faire quand tu es avec tes amis et que tu ne vas pas à l'école ?

J'adore...

3. Qu'est-ce que tu n'aimes pas faire quand tu ne vas pas à l'école ?

Je déteste...

4. À quoi sert le numéro de plaque d'immatriculation des voitures ? Est-ce que ça peut être utile pour autre chose ? Pourquoi ?

5. Qu'est-ce que tu penses de l'utilisation de la peau des chats pour faire des couvertures ? Est-ce nécessaire ou inutile ? Pourquoi ?

6. Dans ton pays, est-ce qu'il y a des lois qui interdisent de faire certaines choses aux animaux ? Est-ce que tu peux en expliquer une ?

7. Pourquoi existe-t-il des lois pour défendre les animaux puisqu'ils ne peuvent pas se plaindre à la police ? Qu'est-ce que tu penses de l'existence de ces lois ?

Scène 5

1. Es-tu déjà allé(e) au commissariat de police ? Pourquoi et quand ? Tu y es allé(e) seul(e), avec un parent, avec un ami ? Qu'est-ce que tu y as fait ?

2. Imagine-toi à la place des garçons. Tu penses qu'ils ont raison d'aller voir les policiers pour expliquer ce qu'ils ont vu ? Quelle est ton opinion ?

3. Imagine les questions que peuvent poser des policiers pendant leur journée de travail, en utilisant des éléments du bloc de gauche et du bloc de droite :

	habitez-vous ?
Comment	vous appelez-vous ?
	savez-vous que ces personnes sont suspectes ?
Où	croyez-vous que le crime a été commis ?
	avez-vous vu les voleurs ?
Pourquoi	vous n'avez rien dit avant ?

Scène 6

1. Connais-tu les aventures d'Astérix et Obélix ? Qui sont-ils ? De quelle époque sont-ils ? Où vivent-ils ? Que font-ils ? Est-ce que ce sont des personnages qui ont réellement existé ?

Astérix et Obélix sont...

2. Es-tu déjà allé(e) dans un parc d'attractions ? C'est comment ? Qu'est-ce que tu aimes le plus ? Classe les éléments suivants par ordre de préférence en écrivant un numéro dans la colonne de droite :

Manger une glace ·· ◯

Aller sur un manège qui fait peur ·························· ◯

Regarder un spectacle ·· ◯

Monter sur un manège tout(e) seul(e) ················ ◯

Aller sur un manège qui monte dans le ciel ·········· ◯

Manger un sandwich ·· ◯

Faire des photos avec des personnages connus ······ ◯

Monter sur un manège avec toute la famille ·········· ◯

3. Connais-tu le parc Astérix ? Y es-tu déjà allé ? Connais-tu une personne qui y est allée ? Comment imagines-tu ce parc ? Imagine avoir la possibilité de visiter ce parc. Qu'est-ce que tu aimerais y faire ? Avec qui veux-tu y aller ?

4. Si tu trouves un chien dans la rue, que faut-il faire pour retrouver son maître? Entoure les bonnes réponses.

Parler au chien.
Regarder s'il porte un collier.
Lui donner un os.
Aller chez le vétérinaire.
L'amener chez soi.
Changer son collier.
Mettre des petites annonces dans le quartier pour décrire le chien.
Laisser le chien dans la rue.
L'abandonner dans une forêt.
Le donner au zoo.
Le donner à un cirque.
L'amener à la S.P.A.
Regarder s'il a un tatouage dans l'oreille ou sur la cuisse.
Lui donner de l'eau.

5. Pourquoi les réponses de l'exercice 4 sont-elles correctes ?

....
....
....

Scène 7

1. Remets l'histoire dans l'ordre, en écrivant un numéro devant chaque phrase.

◯ .... Le monsieur de la S.P.A. découvre qui est la maîtresse de Youki.

◯ .... Youki voit des personnes qui veulent attraper des chiens pour faire des expériences sur eux.

◯ .... Youki tire sur sa laisse et se retrouve seul dans le métro.

◯ .... Isabelle donne son sandwich au chien.

◯ .... Youki fait la connaissance de chiens dans la rue.

◯ .... Youki arrive au parc Astérix.

◯ .... Isabelle confie le chien à une dame qui travaille au parc Astérix.

◯ .... La maîtresse de Youki entre à l'hôpital.

◯···· Mme Roustan veut garder Youki.

◯···· Mme Roustan ne peut pas garder Youki.

◯···· Youki cherche une forêt.

Scène 8

1. Trouve 6 phrases en utilisant au minimum une expression du bloc de gauche et un élément de la colonne centrale.

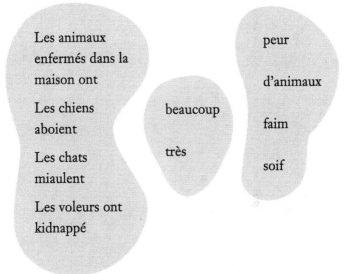

Les animaux
enfermés dans la
maison ont

Les chiens
aboient

Les chats
miaulent

Les voleurs ont
kidnappé

beaucoup

très

peur

d'animaux

faim

soif

Scène 9

1. Est-ce que tu es d'accord avec les parents d'Isabelle sur l'adoption d'un animal ? Est-ce qu'un enfant qui va à l'école peut s'occuper d'un chien ? Est-ce sans importance qu'un chien passe la journée seul dans une maison ?

2. Associe les phrases de gauche avec une phrase de droite de sens synonyme.

Depuis mercredi, Isabelle pense toujours au petit chien.	Elle continue de penser au chien.
	Elle pense tout le temps au chien.
Elle se demande si le chien est encore au refuge.	Elle se demande s'il continue d'être au refuge.
	Elle se demande s'il est retourné au refuge.
Isabelle dit à sa sœur que le chien est peut-être toujours au refuge.	Elle est certaine que le chien continue d'être au refuge.
	Elle suppose que le chien est au refuge.

Scène 10

1. Est-ce que dans ton pays il existe un organisme qui fait le même travail que la S.P.A. ? Comment s'appelle-t-il ? Y a-t-il un refuge dans ta région ? Est-il grand ?

2. Connais-tu quelqu'un qui a adopté un animal d'un refuge ? Pour quelles raisons certaines personnes préfèrent adopter un animal d'un refuge plutôt que de l'acheter dans un magasin ?

> *Certaines personnes préfèrent adopter un animal d'un refuge parce que...*

3. Pourquoi les petits chiens trouvent plus facilement une famille d'adoption que les grands chiens ?

4. Choisis le pronom correct.

   Isabelle va au refuge pour voir le petit chien et discute avec le monsieur de la S.P.A. Elle dit qu'elle (**l' / lui / le**) a trouvé. Elle demande pourquoi (**c' / il / elle**) est toujours au refuge.

   La S.P.A. cherche une nouvelle famille pour (**il / lui / ça**)

Pour Isabelle, le petit chien ressemble à Idéfix. Le monsieur de la S.P.A. trouve aussi qu'il (**le / y / lui**) ressemble. Les parents d'Isabelle ne veulent pas (**lui / le / l'**) adopter.

Scène 11

1. Pourquoi crois-tu que la grand-mère d'Isabelle dit à sa petite-fille qu'elle pourra jouer avec le chien des voisins quand elle ira leur rendre visite ?

2. Pourquoi est-ce une bonne idée que les grand-parents d'Isabelle adoptent un chien ?

C'est une bonne idée qu'ils adoptent un chien parce que...

Scène 12

1. Imagine-toi à la place des grands-parents d'Isabelle, penses-tu qu'adopter un animal pour faire plaisir à ta petite-fille est une bonne idée ou un engagement trop important ?

2. Qu'est-ce qu'Isabelle peut faire avec le petit chien ?

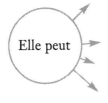

faire des promenades.

jouer aux échecs.

lui préparer à manger.

faire ses devoirs.

jouer à la balle.

lui faire des câlins.

aller chez le vétérinaire.

faire des courses au supermarché.

le brosser.

Solutions

Scène 1

4. a. pieds ; b. les oreilles ; c. les genoux, les coudes ; d. jambes ; e. le bras.

Scène 2

2. Youki ne comprend pas que le deuxième métro ne transporte pas la dame. Il l'a vue partir dans un métro et il pense qu'elle sera dans le deuxième.

3. Quel âge as-tu ? ; Où habites-tu ? ; Comment s'appelle ta mère ? ; Comment tu t'appelles ? ; Tu connais ton numéro de téléphone ?

Scène 3

2. ☒ Local qui sert à faire des expériences scientifiques.
   ☒ Local aménagé qui sert à développer des photos.
   ☐ Local où les jeunes vont prendre un verre et parler avec leurs amis.

☒ Salle insonorisée où des élèves viennent étudier une langue en utilisant un casque et un magnétophone.

Scène 6

4. Regarder s'il porte un collier ; Aller chez le vétérinaire ; Mettre des petites annonces dans le quartier pour décrire le chien ; L'amener à la S.P.A. ; Regarder s'il a un tatouage dans l'oreille ou sur la cuisse ; Lui donner de l'eau.

Scène 7

1. 10, 5, 3, 8, 4, 7, 9, 1, 2, 11, 6.

Scène 8

1.

Les animaux enfermés dans la maison ont

Les chiens aboient

Les chats miaulent

Les voleurs ont kidnappé

beaucoup

très

peur

d'animaux

faim

soif

Scène 9

2. Depuis mercredi, Isabelle pense toujours au petit chien.
Elle pense tout le temps au chien.

Elle se demande si le chien est encore au refuge. Elle se
demande s'il continue d'être au refuge.

Isabelle dit à sa sœur que le chien est peut-être toujours
au refuge. Elle suppose que le chien est au refuge.

Scène 10

4. l' ; il ; lui ; lui ; l'.

Scène 12

2.

Elle peut
- faire des promenades.
- lui préparer à manger.
- jouer à la balle.
- lui faire des câlins.
- aller chez le vétérinaire.
- le brosser.

Table des matières